I MIA

'WRTH DIDI A MIMI

NADOLIG c

Dido, fy nghariad

Cyhoeddwyd gan Gymdeithas Lyfrau Ceredigion Gyf.,
Ystafell B5, Y Coleg Diwinyddol Unedig, Stryd y Brenin,
Aberystwyth, Ceredigion SY23 2LT.
Argraffiad Cymraeg cyntaf: Chwefror 2002
Hawlfraint Cymraeg: Cymdeithas Lyfrau Ceredigion Gyf. © 2002
Addasiad: Dylan Williams
Cân: Eleri Roberts

ISBN 1-902416-54-6

Cyhoeddwyd gyntaf yn 2002 gan Walker Books Limited,
87 Vauxhall Walk, Llundain SE11 5HJ
Teitl gwreiddiol: *Willow by the Sea*
© 2002 Camilla Ashforth

Gosodwyd y llyfr yn Monotype Columbus.
Tynnwyd y lluniau mewn dyfrliw a phensel.

Cysodwyd gan Wasg Gomer, Llandysul SA44 4QL
Argraffwyd yn yr Eidal

HELYG

AR LAN Y MÔR

Camilla Ashforth

Cymdeithas Lyfrau Ceredigion

Pa bryd bynnag y bydd Helyg am freuddwydio
bydd yn eistedd ar ei siglen ger yr afon.

O'r fan honno gall edrych dros y Gwndwn
ac i fyny tuag Esgair Fwyn.

FFERM ALLT-LAS-Y-MYNYDD

Un bore eisteddai Helyg gan freuddwydio
am y môr y tu hwnt i'r Esgair.
Breuddwydiodd am sŵn y tonnau'n
torri ar y tywod,
ac am Ty'n Twyni, ei fwthyn ar lan y môr.

Gydol y dydd,
wrth iddo weithio,
meddyliai Helyg
am drip i lan y môr.

Bydd rhaid imi fynd
â Phorchell Pinc …

a'r ceffyl
a'r defaid …

a'r gwartheg.

Bydd yr ieir a'r gwyddau
wrth eu bodd yno.

Felly, gwahoddodd Helyg
bob un ohonyn nhw.

Drannoeth, helpodd Porchell Pinc Helyg
i bacio'r bwyd ar gyfer eu trip.

Yna ymgasglodd pob un wrth y giât,
a chychwynnodd pawb am lan y môr.

Wrth iddyn nhw deithio dros yr Esgair
canodd Helyg gân:

Un dydd wrth im freuddwydio
Am haul a thraeth a lli,
Mi welwn dros y mynydd
Ryw fwthyn del i mi.
Roedd awel ar y tonnau
A heulwen hirddydd haf,
A chryman hir o dywod aur
I ni gael chwarae'n braf.
I bawb gael chwarae'n braf.

Ar ochr bella'r Esgair safodd yr anifeiliaid.

O'u blaen gwelent y môr prydferth.

Dilynodd pawb y llwybr i lawr at y lan.

Rhedodd Helyg tuag at Ty'n Twyni.

Agorodd y drws
a chamodd i mewn.

TY'N TWYNI

Roedd y cyfan fel y cofiai.

Ar y traeth carlamai'r ceffyl ar ôl y tonnau.

Chwaraeai'r ieir a'r gwyddau yn y tywod.

Porai'r defaid ar y glastraeth.

A syllai'r gwartheg i'r pyllau yn y creigiau.

Daeth Helyg allan i chwarae ar y traeth.
Roedd Porchell Pinc yn aros amdano.

Gyda'i gilydd fe godon nhw
gastell grymus.

Ac fe chwaraeon nhw yn y tonnau
gyda'i gilydd.

'Beth am chwarae gyda'n gilydd am byth bythoedd,'
meddai Helyg.
'Soch,' atebodd Porchell Pinc.

Amser te fe fwytodd yr anifeiliaid eu picnic.

Moron a chorn a gwair.

Ceirch ac afalau i bawb.

Yna, ochr yn ochr, fe eisteddon nhw ar y tywod
i wylio'r haul yn machlud.

Mor braf yw cwmni ffrindiau
Wrth eistedd ar y traeth,
A'r haul yn dân ar donnau
A'r ewyn gwyn fel llaeth.
Ond gwynt y môr sy'n oeri
A'r haul sy'n suddo i lawr;
Mae'r diwrnod wedi dod i ben,
Rhaid troi am adre nawr.
Rhaid mynd i gysgu nawr.

'Mae'n bryd noswylio nawr,' meddai Helyg,
ac fe setlodd yr anifeiliaid yn y cwt cychod.

Y CWT CYCHOD

'Gei di a fi gysgu yn Nhy'n Twyni,'
sibrydodd Helyg wrth Porchell Pinc.

Rhoddodd Helyg sws nos da i Porchell Pinc,
yna gorweddodd yn ôl ar ei glustog.

Mae llongau swyn yn hwylio
O bedwar ban y byd,
I daenu eu trysorau gwych
Ar draeth fy mreuddwyd hud,
Ar draeth fy mreuddwyd hud.

Cân Helyg ar Lan y Môr

Un dydd wrth im freudd - wyd - io Am haul a thraeth a lli, _____ Mi

we - lwn dros y my - nydd Ryw fw - thyn del i mi. _____ Roedd

aw - el ar y ton - nau A heul - wen hir - ddydd haf, _____ A

chry - man hir o dyw - od aur I ni gael chwa - rae'n braf. _____